Ulubione
wierszyki
czterolatka

Ilustrował Marcin Piwowarski

ZIELONA SOWA

Ilustracje
Marcin Piwowarski

Projekt graficzny okładki i dtp
Bernard Ptaszyński

ISBN 978-83-7895-863-5

Wydawnictwo Zielona Sowa Sp. z o.o.
00-807 Warszawa, Al. Jerozolimskie 96
tel. 22 576 25 50, fax 22 576 25 51
www.zielonasowa.pl
wydawnictwo@zielonasowa.pl

Wiatr i noc

Aleksander Fredro

– Czemu ty szumisz? – noc się wiatru pyta.
– Czemu? Bo żyję... dmę sobie, i kwita! –
Odpowiedział wiatr burzliwie.
– Ale tobie ja raczej się dziwię,
Zimno czy ciepło, słota czy pogoda,
Ty wciąż milczysz, śpisz jak kłoda!
Noc mu na to: – Jesteś w błędzie
Zupełnie w tym względzie,
Bo kto milczy, nie śpi wcale,
Ale raczej czuwa stale;
Tego, który działa w ciszy,
Głupiec nigdy nie dosłyszy.
A z twojego szumu
Ni pomocy, ni rozumu,
I jak świat światem, a wszędzie
Wiatr wiatrem tylko będzie!

Paweł i Gaweł

Aleksander Fredro

Paweł i Gaweł w jednym stali domu.
Paweł na górze, a Gaweł na dole;
Paweł spokojny, nie wadził nikomu,
Gaweł najdziksze wymyślał swawole.

Ciągle polował po swoim pokoju:
To pies, to zając – między stoły, stołki.
Gonił, uciekał, wywracał koziołki.
Strzelał i trąbił, i krzyczał do znoju.

Znosił to Paweł, nareszcie nie może;
Schodzi do Gawła i prosi w pokorze:
– Zmiłuj się, waćpan, poluj ciszej nieco,
Bo mi na górze szyby z okien lecą!

A na to Gaweł: – Wolnoć, Tomku,
W swoim domku.

Cóż było mówić? Paweł ani pisnął.
Wrócił do siebie i czapkę nacisnął.
Nazajutrz Gaweł jeszcze smacznie chrapie,
A tu z powały coś mu na nos kapie.

Zerwał się z łóżka i pędzi na górę.
Stuk, puk! – Zamknięto. Spogląda przez dziurę
I widzi... Cóż tam? Cały pokój w wodzie,
A Paweł z wędką siedzi na komodzie.

– Co waćpan robisz? – Ryby sobie łowię.
– Ależ, mospanie, mnie kapie po głowie!
A Paweł na to: – Wolnoć, Tomku,
W swoim domku.

Z tej to powiastki morał w tym sposobie:
Jak ty komu, tak on tobie.

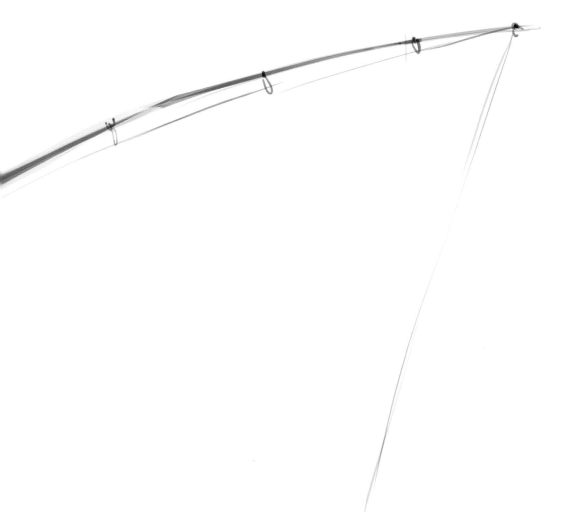

Słoń Trąbalski

Julian Tuwim

Był sobie słoń, wielki – jak słoń.
Zwał się ten słoń Tomasz Trąbalski.
Wszystko, co miał, było jak słoń!
Lecz straszny był zapominalski.
Słoniową miał głowę
I nogi słoniowe,
I kły z prawdziwej kości słoniowej,
I trąbę, którą wspaniale kręcił,
Wszystko słoniowe – oprócz pamięci.

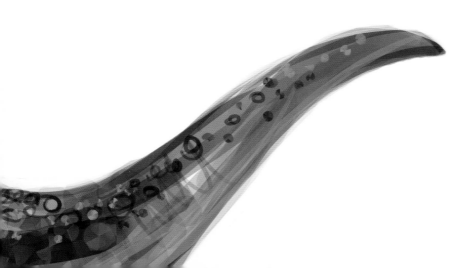

Zaprosił kolegów słoni na karty
Na wpół do czwartej.
Przychodzą – ryczą: „Dzień dobry, kolego!"
Nikt nie odpowiada.
Nie ma Trąbalskiego.
Zapomniał! Wyszedł!
Miał przyjść do państwa Krokodylów
Na filiżankę wody z Nilu:
Zapomniał! Nie przyszedł!

Ma on chłopczyka i dziewczynkę,
Miłego słonika i śliczną słoninkę.
Bardzo kocha te swoje słonięta,
Ale ich imion nie pamięta.
Synek nazywa się Biały Ząbek,
A ojciec woła: „Trąbek! Bombek!"
Córeczce na imię po prostu Kachna,
A ojciec woła: „Grubachna! Wielgachna!"

Nawet gdy własne imię wymawia,
Gdy się na przykład komuś przedstawia,
Często się myli Tomasz Trąbalski
I mówi: „Jestem Tobiasz Bimbalski".

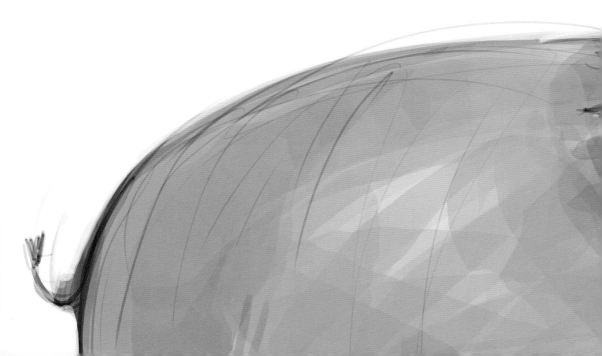

Żonę ma taką – jakby sześć żon miał!
(Imię jej: Bania, ale zapomniał),
No i ta żona kiedyś powiada:
„Idź do doktora, niechaj cię zbada,
Niech cię wyleczy na stare lata!"
Więc zaraz poszedł – do adwokata.
Potem do szewca i rejenta.
I wszędzie mówi, że nie pamięta!
„Dobrze wiedziałem, lecz zapomniałem,
Może kto z panów wie czego chciałem?"

Błąka się, krąży, jest coraz później,
Aż do kowala trafił, do kuźni.
Ten chciał go podkuć, więc oprzytomniał,
Przypomniał sobie to, co zapomniał!

Kowal go zbadał, miechem podmuchał,
Zajrzał do gardła, zajrzał do ucha,
Potem opukał młotem kowalskim
I mówi: „Wiem już, panie Trąbalski!
Co dzień na głowę wody kubełek
oraz na trąbie zrobić supełek".
I chlust go wodą! Sekundę trwało
I w supeł związał trąbę wspaniałą!

Pędem poleciał Tomasz do domu.
Żona w krzyk: „Co to?!" – „Nie mów nikomu!
To dla pamięci!" – „O czym?" – „No... chciałem..."
– „Co chciałeś?" – „Nie wiem! Już zapomniałem!"

Wandzia

Stanisław Jachowicz

Zamiast kwiatów, zamiast wstążki
Kupowała Wandzia książki;
Ale żadnej nie czytała:
Ot, tak tylko, byle miała.

Na to matka jej powiada:
– Książka w szafie nic nie nada.
Pszczółka z kwiatków miodek chwyta;
Kto ma książkę, niechaj czyta.

Tadeuszek

Stanisław Jachowicz

Raz swawolny Tadeuszek
Nawsadzał w flaszeczkę muszek;
A nie chcąc ich morzyć głodem,
Ponarzucał chleba z miodem.

Widząc to ojciec przyniósł mu piernika
I, nic nie mówiąc, drzwi na klucz zamyka.
Zaczął się prosić, płakał Tadeuszek,
A ojciec na to: – Nie więź biednych muszek.
Siedział dzień cały. To go nauczyło:
Nie czyń drugiemu, co tobie niemiło.

Zosia Samosia

Julian Tuwim

Jest taka jedna Zosia,
Nazwano ją Zosia Samosia,
Bo wszystko
„Sama! Sama! Sama!"
Ważna mi dama!

Wszystko sama lepiej wie,
Wszystko sama robić chce,
Dla niej szkoła, książka, mama
Nic nie znaczą – wszystko sama!
Zjadła wszystkie rozumy,
Więc co jej po rozumie?
Uczyć się nie chce – bo po co,
Gdy sama wszystko umie?

A jak zapytać Zosi:

– Ile jest dwa i dwa?

　　– Osiem!

– A kto był Kopernik?

　　– Król!

– A co nam Śląsk daje?

　　– Sól!

– A gdzie leży Kraków?

　　– Nad Wartą!

– A uczyć się warto?

　　– Nie warto!

Bo ja sama wszystko wiem
I śniadanie sama zjem,
I samochód sama zrobię,
I z wszystkim poradzę sobie!
Kto by się tam uczył, pytał,
Dowiadywał się i czytał,
Kto by sobie głowę łamał,
Kiedy mogę sama, sama!
– Toś ty taka mądra dama?
A kto głupi jest!
    – Ja sama!

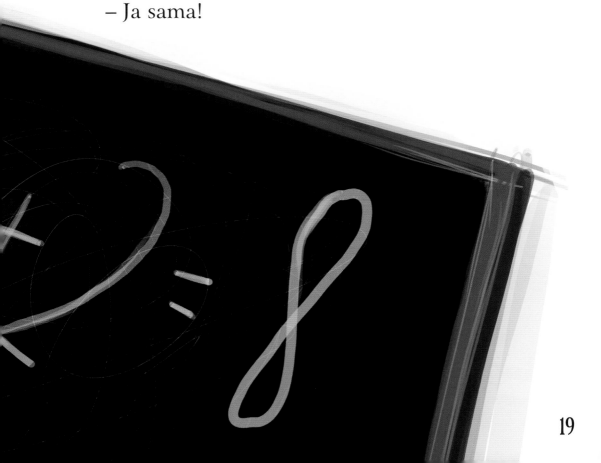

Tulipan i fiołek

Ignacy Krasicki

Tulipan okazały patrzył na to krzywo,
Że fiołek w przyjaźni zostawał z pokrzywą.

Nadszedł pan do ogrodu tegoż własnie rana;
Widząc, że pięknie zeszedł, urwał tulipana.

A gdy się do bukietu i fiołek zdarzył,
Chciał go zerwać, ale się pokrzywą oparzył.

Patrzał na to tulipan, mądry po niewczasie,
I poznał, że przyjaciel, choć nierówny, zda się.

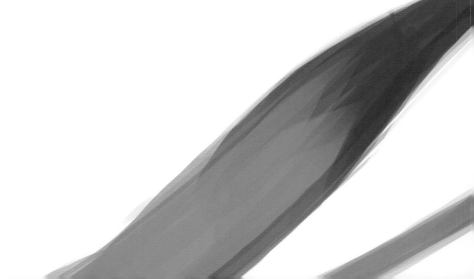

Pszczółki

Maria Konopnicka

Brzęczą pszczółki nad lipiną
Pod błękitnym niebem;
Znoszą w ule miodek złoty,
Będziem go jeść z chlebem.

A wy, pszczółki pracowite,
Robotniczki boże!
Zbieracie wy miody z kwiatów,
Ledwo błysną zorze.

A wy, pszczółki, robotniczki,
Chciałbym ja wam sprostać,
Rano wstawać i pracować,
Byle miodu dostać!

W polu

Maria Konopnicka

Pójdziemy w pole w ranny czas,
młode traweczki, witam was!
Młode traweczki zielone,
poranną rosą zroszone.

Długoście spały twardym snem
pod białym śnieżkiem w polu tym,
teraz główeczki wznosicie,
bo przyszło słonko i życie.

Jabłonka

Maria Konopnicka

Jabłoneczka biała
kwieciem się odziała;
obiecuje nam jabłuszka,
jak je będzie miała.

Mój wietrzyku miły,
nie wiej z całej siły,
nie otrącaj tego kwiecia,
żeby jabłka były.

Jesienią

Maria Konopnicka

Jesienią, jesienią
Sady się rumienią;
Czerwone jabłuszka
Pomiędzy zielenią.

Czerwone jabłuszka,
Złociste gruszeczki
Świecą się jak gwiazdy
Pomiędzy listeczki.

Pójdę ja się, pójdę
Pokłonić jabłoni,
Może mi jabłuszko
W czapeczkę uroni!

Pójdę ja do gruszy,
Nastawię fartuszka,
Może w niego spadnie
Jaka śliczna gruszka!

Jesienią, jesienią
Sady się rumienią;
Czerwone jabłuszka
Pomiędzy zielenią.

Okulary

Julian Tuwim

Biega, krzyczy pan Hilary:
„Gdzie są moje okulary?”

Szuka w spodniach i w surducie,
W prawym bucie, w lewym bucie.

Wszystko w szafach poprzewracał,
Maca szlafrok, palto maca.

„Skandal! – krzyczy – nie do wiary!
Ktoś mi ukradł okulary!”

Pod kanapą, na kanapie,
Wszędzie szuka, parska, sapie!

Szuka w piecu i w kominie,
W mysiej dziurze i w pianinie.

Już podłogę chce odrywać,
Już policję zaczął wzywać.

Nagle zerknął do lusterka...
Nie chce wierzyć... Znowu zerka.

Znalazł! Są! Okazało się,
Że je ma na własnym nosie.

Stoi różyczka

Stoi różyczka
w czerwonym wieńcu,
my się kłaniamy
jako książęciu.
Ty różyczko dobrze wiesz,
dobrze wiesz, dobrze wiesz,
kogo kochasz, tego bierz,
tego bierz.

Ulijanka

Moja Ulijanko,
klęknij na kolanko.
Ujmij się pod boczki,
złap się za warkoczki.
Umyj się, uczesz się
i wybieraj, kogo chcesz.

Mały trębacz

Maria Konopnicka

Moja trąbka ślicznie gra:
     Ratata! Ratata!...

Dziwuje się owca siwa,
kto tak wdzięcznie jej przygrywa,
Dziwują się żółte bąki,
kto tak cudnie gra wśród łąki.
Chwieje wietrzyk bujną trawą,
niesie piosnkę w lewo, w prawo,
Aż gdzieś w dali echo gra:
     Ratata! Ratata!...

Moja trąbka głośno brzmi:
     Rititi! Rititi!...

Wiewióreczka patrzy z drzewa,
czy to gaj tak wdzięcznie śpiewa?
Nastawiła uszka oba,
tak jej granie się podoba.
I zajączek, skryty w trawie,
słucha, patrzy się ciekawie.
Głos w oddali echem brzmi:
       Rititi! Rititi!...

Przy mrowisku

Maria Konopnicka

Co to się tak rusza nisko?
– To, dziateczki, jest mrowisko.
Czyście nigdy nie widziały,
jak ten naród żyje mały?

O, to światek jest ciekawy!
Ma on swoje ważne sprawy,
a choć drobny, tak się trudzi,
że zawstydza dużych ludzi.

Miastem mrówek jest mrowisko.
budują je przy pniu blisko,
by gałęzi dach zielony
w deszcz przydawał im ochrony.

Wnet tam domy i ulice
wznoszą pilne robotnice,
wnet budują mosty, wały –
taki zmyślny ludek mały.

Co igliwia tam naniosą,
co żywicy z ranną rosą,
co wszelakiej tam zdobyczy,
tego, dziatki, nikt nie zliczy!

Mały, duży się przykłada...
Każdy ma – gdy ma gromada,
Zyska gniazdo? – Każdy zyska –
takie prawo jest mrowiska.

Gdy już miasto się podniesie,
biją drogi skroś po lesie...
Jedne suchą, ciepłą porą
na zapasy żywność biorą.

Inne – słomkę drobnej miary
ciągną cości we trzy pary,
czasem – w sto – dźwigają z gąszcza
muchę, osę lub chrabąszcza.

– I poradzą?
– A poradzą!
Bo i bąkom się nie dadzą.
Jedna – nic by nie zrobiła,
lecz mrowisko – to jest siła!

Widzicie tam tego bąka,
jak w ostrogi złote brząka,
jak to huczy, w bęben bije!
Jaką to ma grubą szyję!

Patrzcie! Mrówki całą rzeszą
na obronę miasta śpieszą...
Wszystkie rzędem w jedną stronę
różki mają nastawione.

Wszystkie zwartym idą szykiem,
za swym wodzem naczelnikiem,
wszystkie w jedno, co sił, mierzą;
– Zmiataj, bąku, nim uderzą!

Dwa koguty

Aleksander Fredro

Na dziedzińcu przy kurniku
Krzyknął kogut: – Kukuryku!
– Kukuryku! – krzyknął drugi,
I dalej w czuby!
Biją skrzydła jak kańczugi,
Dziobią dzioby,
Drą pazury
Aż do skóry.

Już krew kapie, pierze leci –
Z kwoczką uszedł rywal trzeci.
A wtem indor dmuchnął: – Hola!
Stała się jego wola.
– O co idzie, o co chodzi?
Indor was pogodzi.
Na to oba, każdy sobie:
– Przedrzeźniał się mej osobie.

– Moi panowie –
Indor powie –
Niepotrzebnie się czubiło,
Przedrzeźniania tu nie było;
Obydwa z jednej zapaliście nuty,
Boście obydwa koguty.

Kiedy głupstwo jeden powie,
Głupstwo drugi mu odpowie;
Potem płacą życiem, zdrowiem.
Co rzec na to? Wiem – nie powiem!

Staś

Stanisław Jachowicz

Staś na sukni zrobił plamę;
Płacze i przeprasza mamę.
Korzystając z chwili, mama
Rzecze: „Na sukni wypierze się plama;
Ale strzeż się, moje dziecię,
Brzydkim czynem splamić życie:
Bo ci, Stasiu, mówię szczerze,
Ta się plama nie wypierze".

O czym ptaszek śpiewa

Maria Konopnicka

A wiecie wy, dzieci,
O czym ptaszek śpiewa,
Kiedy wiosną leci
Między nasze drzewa?

Oj, śpiewa on wtedy
Piosenkę radosną:
„Przeminęły biedy,
Gaj się okrył wiosną!"

Oj, śpiewa on sobie
Z tej wielkiej uciechy,
Że do gniazda wraca,
Do swej miłej strzechy.

Latał on za góry,
Latał on za morza...
Za nim ciężkie chmury,
Przed nim złota zorza.

Teraz się zmieniła
Pogoda na świecie;
Nasza wiosna miła
Odziała się w kwiecie...

Tak i dola nasza,
Choć nam się zasmuci,
Wróci nam z piosenką,
Z słoneczkiem nam wróci!...

Ene due rabe

Ene due rabe,
połknął bocian żabę,
a później Chińczyka,
co z tego wynika?
Raz, dwa, trzy, wychodź ty!

Na wysokiej górze

Na wysokiej górze
rosło drzewo duże,
nazywało ono się:
apli-papli-blite-blau,
a kto tego nie wypowie,
ten nie będzie z nami grał!

Zmarzlak

Maria Konopnicka

A widzicie wy zmarzlaka,
Jak się to on gniewa;
W ręce chucha, pod nos dmucha,
Piosenek nie śpiewa.

– A czy nie wiesz, miły bracie,
Jaka na to rada,
Gdy mróz ściśnie, wicher świśnie,
Śnieg na ziemię pada?

Oj, nie w ręce wtedy dmuchaj,
Lecz serce zagrzewaj,
Stań do pracy jak junacy
I piosenki śpiewaj!

Spis treści